Y DERWYDDON

-DIRGELWCH YR OGAM-

STORI GAN

JEAN-LUC ISTIN A THIERRY JIGOUREL

DARLUNIO GAN

JACQUES LAMONTAGNE

ADDASIAD CYMRAEG GAN

ALUN CERI JONES

DALEN

 CYFLWYNIAD

Mae cyfrol gyntaf *Y Derwyddon, Dirgelwch yr Ogam*, wedi ei gosod ar groesffordd allweddol yn hanes y gwledydd Celtaidd. Dyma ddiwedd y 5^{ed} ganrif, Oes y Seintiau, yng nghanol cyfnod cyfoethog o ran datblygiad ieithyddol a diwylliannol y Brythoniaid, ein cyndeidiau fel Cymry, Llydawyr a gwŷr Cernyw. Roedd Ymerodraeth Rhufain yn datgymalu ar ôl canrifoedd o unbennaeth, a theyrnasoedd newydd yn britho'r tir ymhlith Brythoniaid Ynys Prydain a'r wladfa newydd yn Llydaw.

Roedd hwn hefyd yn gyfnod o wrthdaro. Dyma'r adeg pan oedd y Eingl-Saeson yn dechrau gwasgu ar diroedd y Brython, tra bod cyrchoedd o Iwerddon a gogledd yr Alban gan lwythau fu'n byw y tu hwnt i gyrraedd dylanwad Rhufain yn ychwanegu at y wasgfa. Dyma hefyd gyfnod gwrthdaro rhwng safiadau gwrthgyferbyniol o ran crefydd – gwrthdaro rhwng ffydd newydd yr Eglwys Geltaidd a hen ddefodau Celtaidd y derwyddon. Saif tystiolaeth yn wir o dwf ym mhoblogrwydd crefydd y derwyddon ar yr union adeg yr oedd y seintiau Celtaidd yn lledu eu hefengyl. Gwelwyd hefyd safiadau diwinyddol gwrthgyferbyniol rhwng yr Eglwys Geltaidd a'r Fam Eglwys yn Rhufain.

Yn ôl traddodiad, un o dderwyddon olaf y cyfnod oedd Gwynlan, yn byw yn Nyfnaint Llydaw yng ngogledd gwladfa'r Brythoniaid ar benrhyn Armorica. Safai dros ei gred fel un o ddeiliaid y ffydd bod sancteiddrwydd a doethineb yn preswylio yn y coed.

Yn niwloedd y byd Celtaidd ar gyrion eithaf Ewrop mae cyfrol gynta'r cofnod hwn o ddyddiau bore Oes y Seintiau yn digwydd. Dyma'r dyddiau pan oedd sŵn a iaith y Brythoniaid i'w glywed o ogledd Ynys Prydain hyd at ddyffryn ir afon Loire, y cyfnod wnaeth liwio'r cenhedloedd a'r ieithoedd Celtaidd i'r hyn y gwyddon ni heddiw.

Mae arbenigwyr mewn hanes, diwylliant ac etifeddiaeth Geltaidd wedi rhoi o'u dysg wrth greu cyfrol gyntaf *Y Derwyddon*, a cheisiwyd rhoi darlun mor gywir o'r cyfnod ag oedd bosib. Nid yw'r gyfrol yn hawlio ei bod yn gofnod hanesyddol, ond ysbrydolwyd cymeriadau'r llyfr gan unigolion a digwyddiadau hanesyddol a chwedlonol. Yn naturiol, rhoddwyd hynt i ryddid creadigol er mwyn adrodd stori dda. Yn y fersiwn hon hefyd ceisiwyd rhoi gwedd ieithyddol Gymreig i'r cymeriadau a'r lleoliadau er mwyn ein cysylltu ni heddiw unwaith eto â byd y Brythoniaid mileniwm a hanner yn ôl. Ar dro, ni cheir ffurfiau Cymraeg cyfoes ar gyfer rhai o'r enwau hyn, ond os oes gwreiddyn Brythoneg neu Galeg i'r enw, rhoddwyd cynnig ar ei esblygu i ffurf cyfoes a fyddai'n gydnaws â datblygiad yr iaith Gymraeg. Diolch i'r arbenigwyr mewn ieitheg gymharol fu'n barod eu cymorth; i'r cyhoeddwyr y mae unrhyw fai sy'n weddill.

Yn ola, tra'n cydymdeimlo'n reddfol gyda Gwynlan a Taran yn y stori hon, ni olyga hynny ein bod yn bleidiol i'r naill ochr na'r llall wrth ddilyn y gwrthdaro rhwng y derwyddon a'r Eglwys Geltaidd. Un nod sydd i'r stori rhwng cloriau *Dirgelwch yr Ogam*, sef eich diddanu â chyffro ac antur oes gynhyrfus y seintiau.

Cyhoeddir mynegai yng nghefn y llyfr gyda nodiadau esboniadol
i'r geiriau yn y testun a ddilynir gan seren fach.

www.dalenllyfrau.com

Cyhoeddwyd yn gyntaf yn 2006 gan Dalen, Glandŵr, Tresaith, Ceredigion SA43 2JH
Cyhoeddwyd yn wreiddiol yn Ffrangeg fel *Les Druides: Le Mystère des Oghams*
Hawlfraint © MC Productions - Istin - Jigourel - Lamontagne 2005. Hawlfraint © y testun Cymraeg, Dalen 2006
Mae Dalen yn cydnabod cefnogaeth ariannol Cyngor Llyfrau Cymru
Rhif Llyfr Safonol Rhyngwladol 0-9551366-3-4 / 978-0-9551366-3-4

Argraffwyd yn Ffrainc gan Hémisud

4

OEDD MYND I'R MÔR YN Y TYWYDD HWN YN SYNIAD DA, FRAWD BUDOG*?

Â DWEUD Y GWIR, DOEDD GEN I DDIM DEWIS, FRAWD MEUDYDD*. RŶN NI'N BYW MEWN CYFNOD RHYFEDD, LLAWN TWYLL AC YSTRYW FEL DYFROEDD TYMHESTLOG YR IWERYDD.

DOES GAN GWYNNIO* DDIM BYD O WERTH I'W BREGETHU WRTH NEB. MAE E'N DWYLLODRUS FEL Y SAIS, A'R UN MOR EITHAFOL Â'R ESGOB GARMON*.

RWY'N TEIMLO EIN BOD NI, FRYTHONIAID ARMORICA*, AR EIN FFORDD I DDIFANCOLL. ABATY GWYNNIO YN LLANDDYFYNNOG* YW LLUSERN YSBRYDOL NEWYDD LLYDAW ERBYN HYN...

MAE E'N FYNACH BALCH, YN ARGYHOEDDEDIG TAW DIM OND FE SY'N CAEL CARIO LLEWYRCH DUW, A'I FARN YNGLŶN Â'R PECHOD GWREIDDIOL YN PROFI NAD YW E'N GEFNOGOL I'N CYFFES NI.

MI WN, FRAWD MEUDYDD. RWYF INNAU'N DDRWGDYBUS O GWYNNIO ER PAN OEDD E'N DDISGYBL I MI. OND MAE EIN DYLANWAD NI WEDI GWANYCHU ERS I BWNC PELEG* AR ATHRAWIAETH EWYLLYS RYDD GAEL EI FARNU FEL CAM-GRED GAN RUFAIN.

GWN, FY MRAWD, GWN. OND FEDRA I DDIM DIANC RHAGDDO.

GYDA'R HEN BERTHYNAS SY RHYNGDDON NI, MAE'N RHAID IDDO GAEL GWYBOD AM Y DIGWYDDIADAU RHYFEDD HYN.

YN HWYR NEU'N HWYRACH BYDDAI'N YN RHAID I NI DROI ATO, CRED TI FI, MEUDYDD.

DUW A'CH CADWO, FRODYR. MAE'N RHAID EICH BOD WEDI YMLÂDD AR ÔL Y FORDAITH HIR.

DUW A'TH GADWO, FRAWD! BYDDEM YN DRA DIOLCHGAR O GAEL PRYD SYML A GWELY CLYD...

SUT MAE BYWYD Y PEN HWN I DDYFNAINT LLYDAW*?

TRWY RAS DUW, MAE PAWB YMA YN EI GLODFORI A DILYN EI LEWYRCH.

ER HYNNY...

...MAE'N RHAID I MI DDWEUD WRTHOCH AM FY MHRYDERON YNGLŶN AG AMCANION MERCH GRALON*, BRENIN CERNYW LLYDAW*.

DAHUD...

IE, DAHUD. FE ORCHMYNNODD ADEILADU DINAS EANG AR DIR ISEL GER GLANNAU'R IWERYDD, DINAS WEDI EI CHYSEGRU I BECHOD! MAE EI SWYN YN CHWARAE Â SYNHWYRAU Y RHAI MWYA RHINWEDDOL OHONOM, A'I PHRYDFERTHWCH CYTHREULIG YN DDIGON I LYGRU UN O WEISION DUW!

GAN GYNNWYS RHAI O'CH DISGYBLION, BUDOG...

OND FENTRA I NA DDAETHOCH YR HOLL FFORDD YMA ER MWYN GOFYN SUT MAE PETHAU.

DWEDWCH WRTHA I, FY ATHRO ANNWYL... DWEDWCH PAM EICH BOD WEDI DOD MOR BELL?

MOR BELL O'CH YNYS DLOS...

DWEDWCH PAM EICH BOD CHI EICH HUN WEDI MENTRO YMA?

RWY'N GLUSTIAU I GYD, HYBARCH FUDOG.

7

AC MI FEDDYLIOCH AMDANA I.

PWY ARALL SY 'NA, GWYNNIO? PWY OND Y GORAU O'M DISGYBLION ALLAI WRANDO ARNA I, A CHYNNIG CYNGOR I MI? MAE DAU O'M MYNACHOD, Y BRAWD TUDWAL A'R BRAWD BRIEG, WEDI EU CANFOD YN FARW MEWN AMGYLCHIADAU AMHEUS DROS BEN.

YN DDIWEDDAR MAE DIGWYDDIADAU TRALLODUS WEDI LLETHU HEDDWCH EIN MYNACHLOG SANCTAIDD. RHAID I MI GYFADDEF MAI FY NGREDDF NATURIOL OEDD CEISIO RHOI TAW AR YR HELYNT HYN. OND MAE'R DIAFOL WEDI TREIDDIO EIN MURIAU AC MAE LLE I GREDU Y BYDDAI CYMORTH O'R TU ALLAN O FUDD I NI.

BETH? DISGRIFIWCH GYFLWR EU CYRFF PAN DDAETHPWYD O HYD IDDYN NHW.

ROEDD Y DDAU WEDI EU LLADD YN UNION YR UN FFORDD. EU PENNAU WEDI EU TORRI I FFWRDD, A'U CYRFF Â STANC DRWY EU CANOL.

TAWCH!

OND MAE MWY...

OES?

ROEDD YSGRIF WEDI'I NADDU AR EU CYRFF...

PA FATH O YSGRIF, BUDOG?

8

YSGRIF SY'N PERTHYN I'R...

HEN FFYDD.

WEL...

YSGRIF OGAM? YDYCH CHI'N SICR?

YN HOLLOL SICR.

WELA I. GAN EIN BOD NI'N SIARAD YN AGORED Â'N GILYDD, FY ATHRO DA, HWYRACH Y DYLWN I DDWEUD NAD DYMA'R ENGHRAIFFT GYNTAF O DROSEDD O'R FATH.

YM MYNACHLOG EIN BRAWD PEULIN* AR YR YNYS UCHAF*, CAFWYD HYD I UN O'N BRODYR YN GELAIN O DAN YR UN AMGYLCHIADAU YN UNION.

SOBOR O BETH!

ROEDD PAWB YN UNFRYD EU CASGLIAD: TROSEDD OEDD HON A GYFLAWNWYD GAN YR OLAF O'R DERWYDDON, GYDA'R BWRIAD O WANYCHU SEILIAU'R EGLWYS TRWY WEITHRED ERCHYLL.

Y DERWYDDON? OND FEIDDIAI'R DERWYDDON DDIM...

PAM FELLY?

9

OBLEGID BYDDAI GWEDDILL URDD Y DERWYDDON MEWN PERYGL ENBYD. MAE'N AMHEUS GEN I Y BYDDEN NHW'N DYMUNO TYNNU CYNDDAREDD Y FAM EGLWYS YN RHUFAIN AM EU PENNAU.

OND DOES DIM DADLAU YN ERBYN Y DYSTIOLAETH!

I BOB PWRPAS, OGAM YW EU HYSGRIF SANCTAIDD, OND FE ALLAI UNRHYW UN EI HEFELYCHU A'I DDEFNYDDIO...

DIGON GWIR. MI WNA I GYFADDE I YSTYRIED HYNNY.

DYNA PAM FEDDYLIES I AM OFYN I DDERWYDD YMCHWILIO'N ANNIBYNNOL I'R DIGWYDDIADAU.

AC MI FYDDET TI, FRAWD GWYNNIO, YN FODLON GODDE'R FATH BETH?

RWY WEDI CADW CYSYLLTIAD AG UN OHONYN NHW. HEN GYFAILL ER PAN OEDDWN I'N IFANC AC YN DILYN PELEG...

 OND FRAWD BUDOG, O DAN YR AMGYLCHIADAU, RWY'N TEIMLO BOD YN RHAID I YMCHWILIAD O'R FATH GAEL EI GYNNAL. MAE'N RHAID I NI DDOD O HYD I DDERWYDD GALLUOG AR GYFER Y GWAITH. RYCH CHI'N CYDNABOD RHAI YMHLITH GWŶR Y COED. AT BWY ALLWN NI DROI?

A BETH YW ENW'R...

DERWYDD?

MANAWYDAN, FAB LLŶR, ARGLWYDD Y TONNAU, GALWN ARNAT.

DDWYFOL DARAN, ARGLWYDD YR AWYR, Y CYMYLAU A'R DDRYCIN, GALWN ARNAT.

DÔN, ARGLWYDDES Y FAM DDAEAR FAETHLON, CROTH POB ENAID BYW A'U GORFFWYSFA AR DDIWEDD EINIOES, GALWN ARNAT.

OFFRYMAF I CHI, FY MRODYR A'M CHWIORYDD FU'N YMLAFNIO ER SICRHAU PARHAD EIN TRADDODIADAU, CHI BRESWYLWYR CYTÛN Y DUWIAU AC ENEIDIAU BYW AFALLON, OFFRYMAF FFRWYTH Y MES...

...FEL Y CEWCH CHITHAU DDATHLU'R FLWYDDYN NEWYDD YN EIN PLITH...

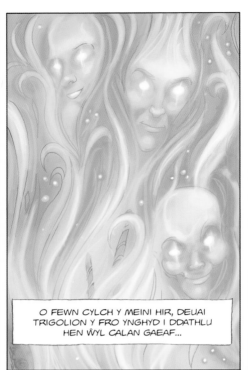

O FEWN CYLCH Y MEINI HIR, DEUAI TRIGOLION Y FRO YNGHYD I DDATHLU HEN WYL CALAN GAEAF...

...GWYL A FYDDAI MEWN DYDDIAU CYNT YN ADUNIAD BLYNYDDOL RHWNG Y BYW A'R MEIRW...

CALAN GAEAF OEDD GWYL FWYA'R FLWYDDYN, YN CHWALU'R FFINIAU RHWNG Y BYD HWN A'R BYD ODDI DRAW...

NOSON YN LLAWN PERYGLON A PHOSIBILIADAU. NOSON I DDERBYN CENADWRI O'R ARALL FYD...

TYRD ATAF!

TI YW'R MAB DAROGAN, GWYNLAN. RWYT TI'N YMGORFFORI HOLL OBEITHION EIN TYLWYTH A DISGWYLIADAU GWŶR Y DDERWEN A'R GOLLEN! CAFODD EIN TIROEDD EU DWYN GAN RODRES RHUFAIN, AC MAE'R CRISTNOGION YN EIN GYRRU'N DDYFNACH I'R GOEDWIG!

A BETH AM FY NYFODOL I?

MAE'R GOELBREN YN DAROGAN GWAE! MAE HELBULON MAWR YN DY WYNEBU! O FEWN MURIAU RHAI O'R ABATAI A SEFYDLWYD YMA GAN FYNACHOD O BRYDAIN, MAE DRYGIONI AR DROED!

DYWED FWY!

DIGOFAINT A THRALLOD! GALANAS A GWAED! RHAID I TI DRAMWYO DY LWYBR YN Y CYSGODION – DOD O HYD I'R FFORDD, A GWARCHOD EIN POBOL AC ETIFEDDIAETH Y DDAEAR!

RHAG PWY? RHAG PWY DDYLWN I WARCHOD FY MRODYR?

MAE CYMYLAU'N PYLU'R HYN A WELAF... MEWN AMSER A FU GWELWN Â LLYGAD MWY CHWIM A CHYWIR. OND HEDDIW, Â'N BYD AR LITHR I EBARGOFIANT, MAE'N FWYFWY ANODD I MI DDILYN LLWYBRAU'R DYFODOL.

BYDD YN OFALUS, GWYNLAN...

CYMER Y COELBRENNI HYN, AC AFAL YR YMWYBOD.

GALL YR OGAM A LUNIWYD AR BREN DAIONI DY GYNORTHWYO YN DY BENDERFYNIADAU OS BYDD DY FEDDWL YN DRYSU. DAW'R AFAL Â THI NÔL ATA I, OND PAID Â'I DDEFNYDDIO HEBLAW DY FOD MEWN CYFYNGDER, OHERWYDD...

IE?

17

ATHRO, OES WIR ANGEN I MI WYBOD SUT I YMGIPRYS MEWN BRWYDR? PRIN FOD RAID I DDERWYDDON DDEFNYDDIO CLEDDYF!

DDYSGA I FYTH, ATHRO!

TARAN, MAE'R CLEDDYF MAWR WEDI BOD YN GYDYMAITH CYSON I'N POBOL DRWY'R OESAU. CLEDDYF YW HWN A WEITHIWYD YN NHIROEDD GOGLEDD Y BYD GAN Y DUW GOFANNON.

FE'I RHODDWYD I OFAL Y DERWYDD WYSG, CYN IDDO YNTAU EI DROSGLWYDDO I DDWYLO EIN POBOL. DYMA NERTH YR ENAID FFRWYTHLON, ARWYDD Y GOLEUNI YSBRYDOL, A PHENARGLWYDDIAETH GRYM Y CREAD.

RHODD YW HWN, TARAN, RHODD I NI O'R ARALL FYD. RHODD A DDADWEINIWYD GAN AFALLON, AC A WEINIR ETO GAN AFALLON PAN FYDD AMSER A THYNGED Y CLEDD AR BEN. TAN HYNNY, RHAID I NI YMARFER BRWYDRO!

AR EU PEN EU HUNAIN GALL DEWINIAETH A LLAFAR-GANIADAU Y DERWYDDON DDIM GORESGYN EIN GWRTHWYNEBWYR, DOEDDEN NHW FAWR O GYMORTH I'N BRODYR AR YNYS MÔN', NAC YCHWAITH I'N BRODYR YN IWERDDON YN WYNEB YSTRYWIAU EFENGYLAIDD PADRIG...

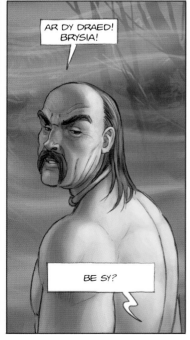

AR DY DRAED! BRYSIA!

BE SY?

MAE RHYWUN YN DOD.

18

19

DOEDD DIM PALL AR ALLU FY ATHRO I'M SYNNU. AR Y NAILL LAW, EF OEDD AMDDIFFYNNWR OLA URDD Y DERWYDDON. AC AR Y LLAW ARALL ROEDD YN GYFEILLGAR AG UN O'R RHEINY ROEDDWN I YN EU HYSTYRIED FEL EIN GELYNION GWAETHAF!

A'R CYFEILLGARWCH HWNNW FEL Y DUR.

YN YSTOD Y SIWRNE I YNYS FRIAD ESBONIODD GWYNLAN WRTHA I BETH OEDD WEDI DOD Â'R DDAU OHONYNT AT EI GILYDD: PARCH AC ATHRAWIAETH. YR ATHRAWIAETH OEDD ARDDELIAD PELEG, Y MYNACH O FRYTHON, SEF BOD GAN BOB MEIDROLYN Y GALLU I DDEWIS BETH FYDDAI EI DYNGED, AC NAD OEDD EI ENAID WEDI EI LYGRU GAN Y PECHOD GWREIDDIOL O DDYDD EI ENI.

WRTH WRANDO AR FY ATHRO YN SÔN AM EI GYFAILL, GWELAIS LYGEDYN O OBAITH – OHERWYDD FY MHROFIAD GWANTAN A'M IEUENCTID FFÔL, MAE'N SIŴR. YM MÊR FY ESGYRN TEIMLAIS OS OEDD BUDOG A GWYNLAN YN ODDEFGAR O SAFBWYNTIAU EI GILYDD, YNA HWYRACH Y GALLAI'R DDWY FFYDD HEFYD GYD-FYW.

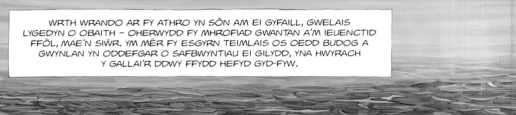

OND GYDA'R CAM NESA, DRYLLIWYD UNWAITH AC AM BYTH UNRHYW FREUDDWYD I'R PERWYL HWNNW...

DUW A'CH CADWO, FRODYR A CHWIORYDD!

DUW A'CH CADWO, FRODYR!

DYMA TI, O'R DIWEDD, FY NGHYFAILL...

BUDOG...

IE, GWYNLAN. GWN EI BOD MOR AMLWG FOD PWYSAU'R BLYNYDDOEDD YN FEUNYDDIOL WASGU AR FY YSGWYDDAU. OND RWYT TI...

RWYT TI'N EDRYCH YN IFANC A HEINI, YN UNION FEL RWY'N DY GOFIO DI! SUT ALLAI DYN SY'N CHWEDL YN Y CNAWD HENEIDDIO, DWED?

CHWEDL YN Y CNAWD? DOES BOSIB DY FOD TI'N MEDDWL AMDANA I FEL 'NA?!

O YDW! A DYNA SUT MAE'R RHAN FWYA O BOBOL YN MEDDWL AMDANOT HEFYD!

FY MEIBION, YMGARTREFWCH YN Y GAFELL SYML HON. RŶN NI'N EI CHADW AR GYFER YMWELWYR O FRI. A PHEIDIWCH AG ANGHOFIO YMUNO Â MI YN EIN FFREUTUR ER MWYN RHANNU TAMAID I'W FWYTA...

ATHRO?

IE, TARAN?

DWI DDIM YN HOFFI'R LLE 'MA. DWI DDIM YN TEIMLO'N GARTREFOL O GWBWL.

YDYCH CHI'N HOLLOL SIŴR Y GALLWN NI YMDDIRIED YN EICH CYFAILL?

TARAN, GYDA BUDOG AR DIR Y BYW MI FYDDWN NI'N DDIGON DIOGEL YNG NGORLLEWIN DYFNAINT LLYDAW, AC YN ARBENNIG YN ARDAL BRO OELO'...

BENDITHIA EIN BARA Y DYDD HWN...

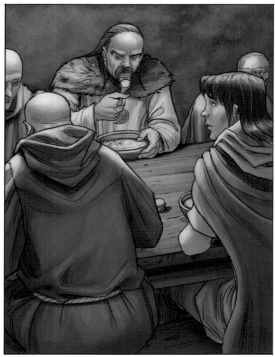

FRAWD BUDOG?

MAE'R DYDD WEDI HEN YMADAEL Â NI, GYFAILL. MAE BLINDER DY RUDD YN AMLWG.

DWI ANGEN CAEL ATEBION...

PAID Â GOFYN MWY HENO, FY NGHYFAILL.

AR YR ADEG Y BYDD DUW YN EI DDEWIS, MI WNA I DDATGELU'R CYFAN.

ATHRO? YDYCH CHI'N CYSGU?

FENTRA I NA GAF I FAWR O GWSG HENO, TARAN.

MAE 'NA BOB MATH O GWESTIYNAU YN MYND TRWY 'MEDDWL.

BE SY'N DY BOENI, DWED?

MI WELES I CHI'N CAMU DRWY'R TÂN... PRIN Y GALLWN I GREDU'R PETH. BE DDIGWYDDODD? I BLE'R AETHOCH CHI?

DAETH LLAW ALLAN O'R TÂN...

LLAW MORRIAN WELEST TI.

MORRIAN? SUT BETH YW HI?

MI ES I DRAW I'R BYD ARALL, TARAN BACH, DRAW I AFALLON, Y FRO DIRION Y TU HWNT I'R NIWL LLWYDWYN SY'N EI CHELU RHAG EIN LLYGAID.

DWI'N DECHRAU DEALL BE SY'N COSI DY CHWILFRYDEDD, Y BAEDD BACH!

ROEDD EI CHROEN YN WYN FEL LLIW'R ALARCH! A NAWR 'MOD I'N MEDDWL AMDANI, ROEDD HI'N DDEL HEFYD, FEL DUWIES!

DYNA SUT WNES I EI DYCHMYGU HI!

OND MI WNEST TI GEISIO FY ATAL RHAG CROESI. PAM?

ROWN I... ROWN I'N OFNI Y BUASAI HI'N EICH CADW AM BYTH.

MAE'N WIR BOD MERCHED YR ARALL FYD WEITHIAU YN DOD I HEBRWNG Y SAWL SY'N WYNEBU ANGAU, OND MI RYDW I YN IACH FEL CNEUEN, PAID Â PHOENI.

GWYNLAN?

?

?

24

MAE HI'N DYWYLL O HWYR I FOD ALLAN AR DROED, FY MRAWD.

Y BRAWD MEUDYDD YDW I, CENNAD I'R BRAWD BUDOG... MAE'N DYMUNO EICH GWELD.

OS FELLY, DEWCH I NI FYND ATO'N SYTH!

WRTH DROEDIO'R LLWYBR TYWYLL AT Y BRAWD BUDOG, TEIMLAIS AWYDD I DDIANC O'R LLE. DIM OND PRESENOLDEB GWYNLAN OEDD YN FY NGHADW RHAG CYNHYRFU GORMOD.

DOEDD GEN I DDIM FFYDD O GWBWL YN Y MYNACH YMA, NAC YN UNRHYW UN O'R LLEILL CHWAITH. DRO AR ÔL TRO TEIMLWN EI FOD YN EIN TYWYS AT EIN TRANC, AC AR AMRANTIAD Y BYDDAI RHYWRAI YN NEIDIO O'R LLWYNI A THORRI'N GYDDFAU. ETO...

...DOEDD DIM RHAID GOFIDIO.

DIOLCH AM DDOD, FY NGHYFAILL. RWY'N DYMUNO CADW'R CYFARFOD HWN YN GWBWL GYFRINACHOL.

MAE SŴN PRYDER YN DY LAIS. DWED WRTHA I BE SY AR DY FEDDWL...

TAIR LLOFRUDDIAETH, GWYNLAN. POB UN YN DDIENAID. DWY FAN HYN, AC UN YM MYNACHLOG PEULIN AR YR YNYS UCHAF...

MYNACHOD OEDD Y SAWL GAFODD EU LLADD, DILYNWYR CRIST YN EUOG O DDIM CAMWEDD, HEBLAW AM GARIAD ANFEIDROL TUAG AT EU DUW A'U LLYFRAU.

YR OLAF I NI EI GOLLI OEDD Y BRAWD TUDWAL. MI DDAETHON NI O HYD I'W GORFF AR LAN Y MÔR, WEDI EI DDARNIO'N ERCHYLL.

DIGWYDDODD YR UN PETH I FRAWD ARALL YM MYNACHLOG MEUDYDD, NID NEPELL O'R FAN HON.

MAE RHAI PETHAU'N GYFFREDIN I'R TAIR LLOFRUDDIAETH. ROEDD PENNAU'R TRI A LADDWYD WEDI DIFLANNU - HYD HEDDIW NI DDAETHPWYD O HYD IDDYN NHW.

OND MAE RHYWBETH ARALL YN EIN POENI YN FWY...

RWY WEDI CADW HWN... STANC OEDD WEDI EI YRRU DRWY GORFF Y BRAWD TUDWAL.

MI WELI DI YSGRIF ARNO.

OGAM.

WYT TI'N SICR?

YDW. RWY'N DECHRAU DEALL NAWR PAM OFYNNEST I MI DDOD YMA.

RWYT TI'N MEDDWL MAI DERWYDDON A LADDODD Y MYNACHOD HYN.

DYNA FARN Y MWYAFRIF.

OND PAM FYDDAI DERWYDDON YN GADAEL TYSTIOLAETH GYDA'R CORFF, DIM OND I DYNNU'R FATH GYHUDDIADAU AM EIN PENNAU?

I'N HERIO! I HAWLIO'N TIRIOGAETH! YDY HI'N BOSIB MAI GWARADWYDD GAN UN O'CH BRODYR YW HYN?

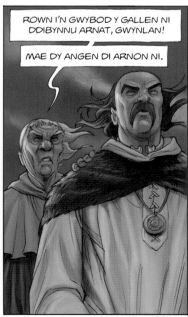

MAE FY FFYDD YN FY MRODYR YN FY NGHYMELL I WADU'R PETH! OND RHAID I MI BWYSO A MESUR Y DYSTIOLAETH CYN RHOI FY MARN BENDANT.

ROWN I'N GWYBOD Y GALLEN NI DDIBYNNU ARNAT, GWYNLAN!

MAE DY ANGEN DI ARNON NI.

WYT TI AM I MI DDARGANFOD PWY SY'N EUOG?

DYNA Y MAE GWYNNIO YN GOBEITHIO Y GWNEI DI.

GWYNNIO?

Y DYN EI HUN!

BETH ARALL SY GEN TI I'W DDATGELU?!

AR GEFNAU'R TRI A LADDWYD ROEDD NOD WEDI EI DORRI I'R CNAWD.

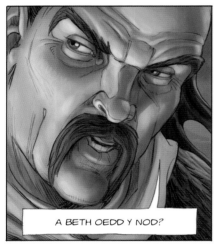

A BETH OEDD Y NOD?

RWY WEDI CYFLAWNI GWEITHRED ANRHEITHIOL ER MWYN I TI GAEL GWELD.

BE TI'N FEDDWL?

MADDEUED DUW I MI...

DYMA'R NOD.

OND...?

28

HA, HA! NAWR 'TE'R SGLYFETH BACH, MAE'R DDAEAR MOR ANNWYL I TI FEL BOD RHAID I TI EI CHUSANU?!

O HO! EDRYCHWCH, FY MRODYR, MAE'R DERWYDD BACH YN YMDRYBAEDDU YN Y LLACA FEL MOCHYN GWYLLT!

O LEIA, FYNACH, DYW FY MHEN I DDIM HANNER MOR AGOS I FOD YN Y CYMYLAU Â D'UN DI.

RWYT TI'N MYND DROS BEN LLESTRI, FRAWD ILLTUD, YN TYNNU RHYWUN AM DY BEN BYTH A HEFYD...

MAE FY NGHYDWYBOD I'N GLIR, FRAWD TREFOR. MAE'R CYW DDERWYDD YN LLETCHWITH AR EI DRAED, DYNA I GYD!

OND YN SICR DDIGON FE GAIFF E YMDDIHEURO AM DDIFWYNO FY FFON GAIN!

FELLY, RWYT TI'N GOFYN AM GERYDD GO IAWN, WYT TI?!

GWNA DY ORE, FYNACH!

31

ZOOOOOOO

FE CHWALA I DY BEN, LLWDWN Y WRACH LYDEWIG!

MELLTITH!

CRACK

RHYWBETH O'I LE, FRAWD ILLTUD?

GWRANDA ARNA I, GYTHRAUL BACH Y FALL! RWY'N MYND I DORRI POB ASGWRN YN DY GORFF DI!

HAAAAAARG!

HAAAAAAAA!

Y BRAWD
ILLTUD...

DOES DIM ANGEN I MI DDWEUD MAI
RHYW YNFYTYN OEDD Y MYNACH YNA.
OND DOEDD FFOLINEB UN BRAWD
DDIM YN POENI FY ATHRO.

EI ORCHWYL OEDD Y
PENNAF BETH WRTH IDDO
DDYCHWELYD I'R FAN LLE
CAFWYD HYD I GORFF Y
BRAWD TUDWAL.

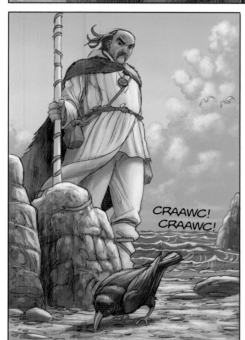

BE SY FAN HYN?

CRAAWC! CRAAWC!

BETH WYT TI'N MEDDWL YW HWN, FORFRAN?

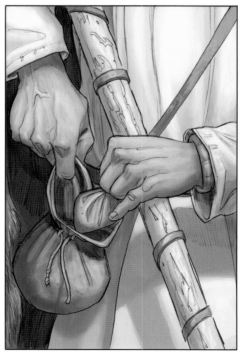

35

MI WN I PWY LADDODD Y MYNACHOD DRUAN!

MI ROEDDWN I YNO Y NOSON CAFODD TUDWAL EI LADD...

DWED BE DDIGWYDDODD...

BE SY 'NA I'W DDWEUD?! FE DDAETHON NHW, FE GIPION NHW TUDWAL WRTH IDDO REDEG AR HYD Y LAN, YNA TORRI EI BEN I FFWRDD Â CHRYMAN ANFERTH!

FAINT OHONYN NHW OEDD 'NA?

PEDWAR, O LEIA! YN RHINCIAN DANNEDD FEL CYTHREULIAID BACH!

FASET TI'N EU HADNABOD NHW PETAET TI'N EU GWELD UNWAITH YN RHAGOR?

DYNA FE!

ROEDD E'N UN OHONYN NHW! Y DERWYDD FELLTITH!

DOS O 'NGOLWG I, Y BRAWD ILLTUD!

OND... FRAWD BUDOG?

ALLAN, AR DY UNION! DOES GAN NEB DDIDDORDEB YN DY FWYDRO MILAIN. CLYW FY RHYBUDD I GADW UNRHYW ENSYNIADAU MALEISUS I DY HUNAN! ROEDD HI'N GWBWL AMHOSIB I GWYNLAN A TARAN I FOD YN Y FAN PAN LLADDWYD TUDWAL!

FRAWD RHUFON... WYT TI YMA?

YDW...

...YN GWEDDIO.

GARET TI I NI DDYCHWELYD YN HWYRACH?...

ARHOSWCH, FRAWD BUDOG.

Y BRAWD MEUDYDD SY GYDA CHI, FRAWD BUDOG? GLYWAIS I ERIOED SŴN SIFFRWD CYMAINT O FENTYLL - OND NID MENTYLL MYNACHOD MOHONYN NHW.

FRAWD RHUFON, DOES DIM O GWBWL YN BOD AR DY SYLWGARWCH, MAE HYNNY'N SIŴR!

GWIR BO'R GAIR.

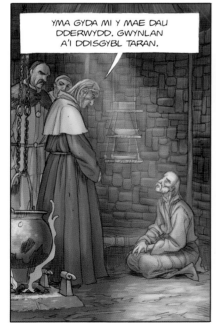

YMA GYDA MI Y MAE DAU DDERWYDD. GWYNLAN A'I DDISGYBL TARAN.

DERWYDDON!... BYRHOEDLOG IAWN FYDD EICH LLINACH, WYDDOCH CHI...

FELLY RŶCH CHI A'CH CYFEILLION YN DWEUD...

AI CHI YW'R DDAU SYDD AR WEFUSAU PAWB FAN HYN? GWYNLAN, CYFAILL Y BRAWD BUDOG. MAE SÔN BOD GWYNNIO WEDI GOFYN AMDANOCH EI HUNAN. BE MAE HYNNY'N DDWEUD WRTHOCH – BOD Y SAWL SY'N DYMUNO EICH GWELD YN TRENGI YN GALW AM EICH CYMORTH?

SEFYLLFA RYFEDD, MAE'N RHAID I MI GYFADDE. OND MI WNA I BOPETH YN FY NGALLU I BROFI NAD Y DERWYDDON SY'N EUOG O'R CYHUDDIADAU SY'N EU HERBYN.

WNA I DDIM GOFYN. OND HWYRACH Y GALLWCH DDWEUD WRTHON NI YR HYN A WYDDOCH AM Y BRAWD TUDWAL...

ANAML Y DEUAI I 'NGWELD I...

FEDRA I DDIM DWEUD WRTHOCH PWY LADDODD Y MYNACHOD.

ANAML, NES Y DIWRNOD HWNNW FISOEDD YN ÔL...

Y TRO HWNNW ROEDD EI LAIS E MOR WAHANOL. ROEDD IDDO SŴN RHYW LAWENYDD.

AC ETO, ROEDD YN ANODD EI DDEALL GAN NAD OEDD EI LEFERYDD YN GLIR. ROEDD EI YMARWEDDIAD YN RHYFEDD.

OND ROWN I'N DEALL YN IAWN MAI UN RHESWM YN UNIG A GYFRAI AM EI LAWENYDD.

SEF?

LLAWYSGRIF...

Y LAWYSGRIF ROEDD E WRTHI'N EI CHOFNODI.

PWY OFYNNODD IDDO BARATOI'R LAWYSGRIF HON? WNAETH E SÔN?

DIM OND TAW CHI, BUDOG, OEDD WEDI GOFYN AMDANI.

LLAWYSGRIF? WNES I ERIOED OFYN I'R BRAWD TUDWAL BARATOI UNRHYW LAWYSGRIF I MI.

BETH OEDD Y TESTUN?

DDWEDODD E DDIM.

DDIM MEWN GWIRIONEDD...

O'R HYN A DDEALLAIS WRTH WRANDO ARNO'N RWDLAN YN DDI-BAID, ROEDD Y TESTUN YN YMWNEUD Â MATER FYDDAI YN EICH BODDHAU.

PWY?!

CHI...

40

...Y DERWYDDON!

DYMA GAFELL Y BRAWD TUDWAL. DOES NEB WEDI CYSGU YMA ERS IDDO FARW.

DIOLCH.

PRIN Y BYDD UNRHYW BETH DEFNYDDIOL YMA.

WYDDOST TI BYTH! BU TUDWAL FARW TRA'N CELU RHYW GYFRINACH.

Y TU ÔL I FOELNI LLYM Y GAFELL FACH HON, RWY'N CREDU BOD MODD CUDDIO AMBELL I GYFRINACH.

?

DYNA OEDDWN I'N AMAU!

MAE GEN TI FEDDWL PRAFF, GWYNLAN.

BETH YW E?

STORI...

CHWEDL, HEN HANES AM UN O'R PRYDYN*, DYN O'R ENW TALWRCH.

MAE'R HANES WEDI EI ADRODD YN YR WYDDOR OGAM. ROEDD TUDWAL YN GYFARWYDD Â'R WYDDOR, MAE HYNNY'N SICR. AC MI ROEDD E'N EI DEALL HEFYD FEL MAE'R NODIADAU ESBONIADOL AR YMYL Y DDALEN YN PROFI.

DYNA LAWYSGRIFEN Y BRAWD TUDWAL, IE.

ROEDD E'N ARCHDDERWYDD, Y MWYAF HYDDYSG O WŶR Y GOGLEDD'. PRIN FOD NEB ARALL YN DEBYG IDDO. ROEDD TALWRCH YN FAB I WRAIG O'R ARALL FYD, AC YN AELOD O URDD AFALLON.

PWY OEDD TALWRCH?

CRED TI FI, GYFAILL, MAE YNYS AFALLON, NEU YNYS WYDRIN FEL Y'I GELWIR HEFYD, YN BODOLI GO IAWN.

AFALLON?! DWLI LLWYR YW'R AFALLON 'MA! DIM OND YN EICH BREUDDWYDION Y MAE'R BYD YNA'N BODOLI.

OND MAE AFALLON YN CUDDIO'I HUN RHAG EIN LLYGAID, TRA BO'R NIWL SYDD O'I CHYLCH YN CYNYDDU O DDYDD I DDYDD.

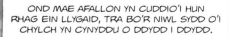

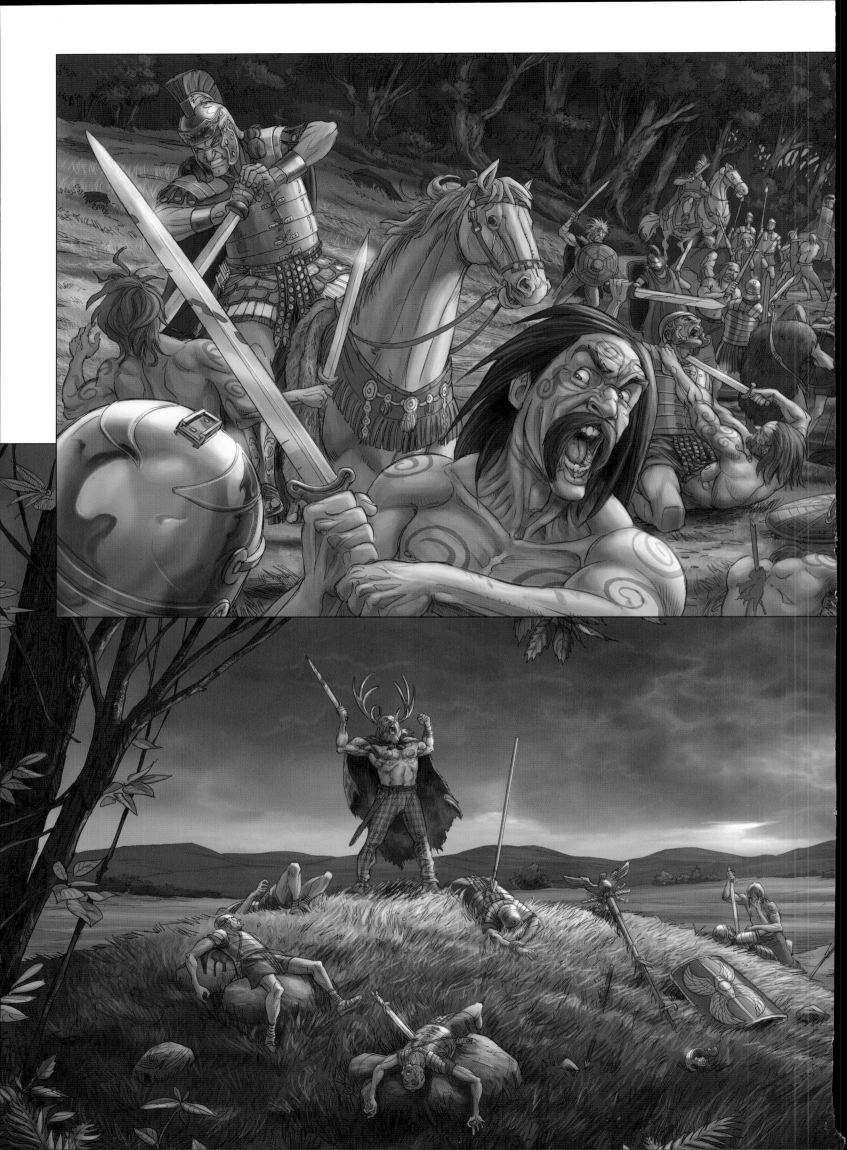

PAN AETH Y LLENG I'R GAD YN EI ERBYN, GALANAS OEDD YN EI HWYNEBU, BRWYDR
YMHLITH Y MWYA GWAEDLYD A WELWYD GAN Y SAWL FU'N DYSTION IDDI – YR HEN DDERI
SY'N DAL I SÔN AM Y CLEDDYFAU'N HOLLTI CLWYFAU ANGHEUOL AR GNAWD AGORED...

Y PRYDYN A ORFU, OND ROEDD GAN RHUFAIN
DDICHELLGAR FANTAIS NA WYDDAI TALWRCH AMDANI.

ROEDD GWION FAB TALWRCH WEDI TROI AT FFYDD Y CRISTION AR ÔL CAEL EI SWYNO GAN Y CYFOETH A ADDAWYD IDDO GAN YR EGLWYS, A'R URDDAS YR OEDD YN EI GREFU.

MEWN BYR O DRO GWION FU'N GYFRIFOL AM DORRI PEN TALWRCH I FFWRDD, UNWAITH I HWNNW DROI EI GEFN. DOEDD GANDDO MO'R GWRHYDRI I SEFYLL WYNEB YN WYNEB Â'I DAD.

CALON BWDWR YN LLAWN CASINEB A THRACHWANT OEDD GANDDO.

OND CHAFODD NEB ARGOEL O BE DDIGWYDDODD NESA.

ROEDD TALWRCH – NEU'N HYTRACH, EI BEN – YN PARHAU I LEFARU. ROEDD GWION YN GREDINIOL EI FOD YN TROI'N WALLGO WRTH IDDO WELD LLYGAID PEN MARW EI DAD YN HOELIO'U SYLW ARNO A'I ORCHYMYN I'W GLUDO I BERFEDD COED CELYDDON*.

GWYNLAN.

IE?

AI AM DROSI TESTUNAU SY'N GYSYLLTIEDIG Â THALWRCH Y LLADDWYD EIN BRODYR?

DWI'N TYBIO DIM CYN I MI YSTYRIED POPETH. OS OEDD Y BRAWD TUDWAL WEDI MYND I DRAFFERTH I GUDDIO'R TESTUN HWN, YNA MAE'N RHAID EI FOD YN EI YSTYRIED YN BWYSIG.

ROEDD Y DERWYDDON WEDI PENDERFYNU EI LADD AM EI FOD YN CYFIEITHU TESTUNAU SANCTAIDD?

CASGLIAD BYRBWYLL DROS BEN FYDDAI HYNNY! RWYT TI'N DECHRAU MEDDWL FEL GWYNNIO!

TYRD, GAD I MI DDANGOS RHYWBETH I TI. HWYRACH Y GELLI DI FOD O GYMORTH I MI.

I'W BARHAU...

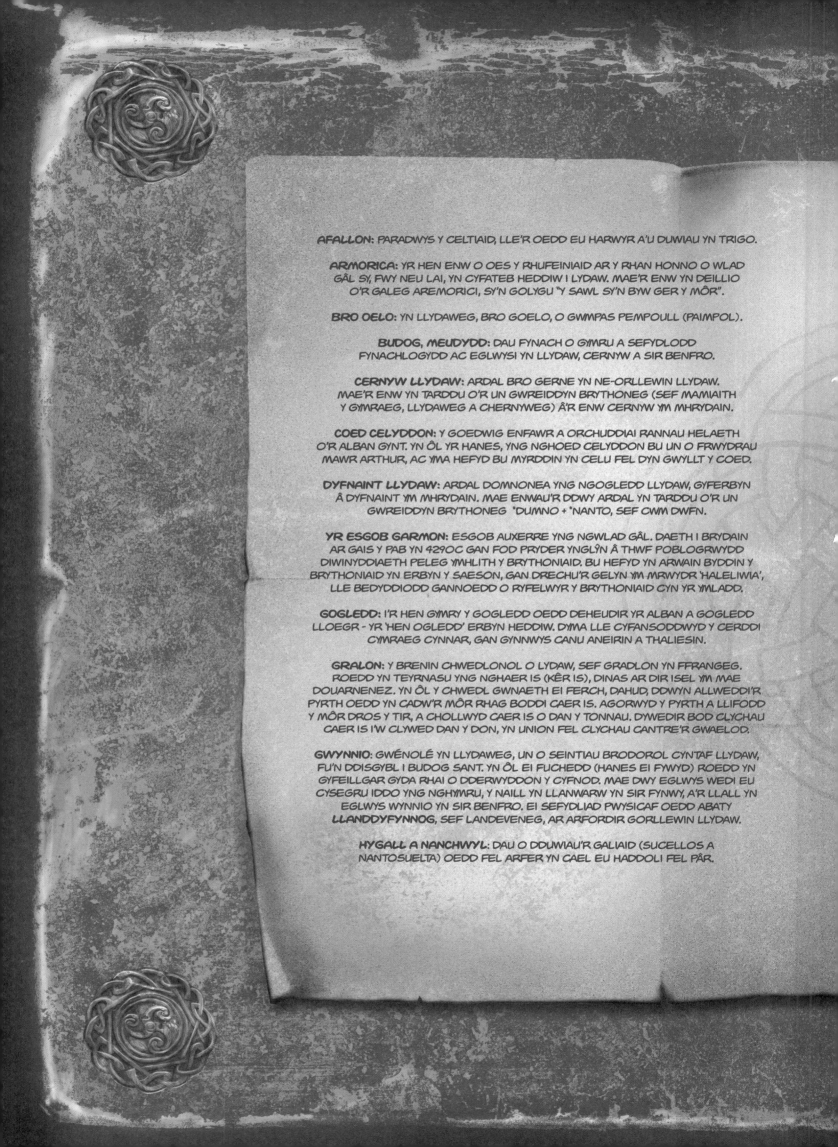

AFALLON: PARADWYS Y CELTIAID, LLE'R OEDD EU HARWYR A'U DUWIAU YN TRIGO.

ARMORICA: YR HEN ENW O OES Y RHUFEINIAID AR Y RHAN HONNO O WLAD GÂL SY, FWY NEU LAI, YN CYFATEB HEDDIW I LYDAW. MAE'R ENW YN DEILLIO O'R GALEG AREMORICI, SY'N GOLYGU 'Y SAWL SY'N BYW GER Y MÔR".

BRO OELO: YN LLYDAWEG, BRO GOELO, O GWMPAS PEMPOULL (PAIMPOL).

BUDOG, MEUDYDD: DAU FYNACH O GYMRU A SEFYDLODD FYNACHLOGYDD AC EGLWYSI YN LLYDAW, CERNYW A SIR BENFRO.

CERNYW LLYDAW: ARDAL BRO GERNE YN NE-ORLLEWIN LLYDAW. MAE'R ENW YN TARDDU O'R UN GWREIDDYN BRYTHONEG (SEF MAMIAITH Y GYMRAEG, LLYDAWEG A CHERNYWEG) Â'R ENW CERNYW YM MHRYDAIN.

COED CELYDDON: Y GOEDWIG ENFAWR A ORCHUDDIAI RANNAU HELAETH O'R ALBAN GYNT. YN ÔL YR HANES, YNG NGHOED CELYDDON BU UN O FRWYDRAU MAWR ARTHUR, AC YMA HEFYD BU MYRDDIN YN CELU FEL DYN GWYLLT Y COED.

DYFNAINT LLYDAW: ARDAL DOMNONEA YNG NGOGLEDD LLYDAW, GYFERBYN Â DYFNAINT YM MHRYDAIN. MAE ENWAU'R DDWY ARDAL YN TARDDU O'R UN GWREIDDYN BRYTHONEG *DUMNO + *NANTO, SEF CWM DWFN.

YR ESGOB GARMON: ESGOB AUXERRE YNG NGWLAD GÂL. DAETH I BRYDAIN AR GAIS Y PAB YN 429OC GAN FOD PRYDER YNGLŶN Â THWF POBLOGRWYDD DIWINYDDIAETH PELEG YMHLITH Y BRYTHONIAID. BU HEFYD YN ARWAIN BYDDIN Y BRYTHONIAID YN ERBYN Y SAESON, GAN DRECHU'R GELYN YM MRWYDR 'HALELIWIA', LLE BEDYDDIODD GANNOEDD O RYFELWYR Y BRYTHONIAID CYN YR YMLADD.

GOGLEDD: I'R HEN GYMRY Y GOGLEDD OEDD DEHEUDIR YR ALBAN A GOGLEDD LLOEGR - YR 'HEN OGLEDD' ERBYN HEDDIW. DYMA LLE CYFANSODDWYD Y CERDDI CYMRAEG CYNNAR, GAN GYNNWYS CANU ANEIRIN A THALIESIN.

GRALON: Y BRENIN CHWEDLONOL O LYDAW, SEF GRADLON YN FFRANGEG. ROEDD YN TEYRNASU YNG NGHAER IS (KÊR IS), DINAS AR DIR ISEL YM MAE DOUARNENEZ. YN ÔL Y CHWEDL GWNAETH EI FERCH, DAHUD, DDWYN ALLWEDDI'R PYRTH OEDD YN CADW'R MÔR RHAG BODDI CAER IS. AGORWYD Y PYRTH A LLIFODD Y MÔR DROS Y TIR, A CHOLLWYD CAER IS O DAN Y TONNAU. DYWEDIR BOD CLYCHAU CAER IS I'W CLYWED DAN Y DON, YN UNION FEL CLYCHAU CANTRE'R GWAELOD.

GWYNNIO: GWÉNOLÉ YN LLYDAWEG, UN O SEINTIAU BRODOROL CYNTAF LLYDAW, FU'N DDISGYBL I BUDOG SANT. YN ÔL EI FUCHEDD (HANES EI FYWYD) ROEDD YN GYFEILLGAR GYDA RHAI O DDERWYDDON Y CYFNOD. MAE DWY EGLWYS WEDI EU CYSEGRU IDDO YNG NGHYMRU, Y NAILL YN LLANWARW YN SIR FYNWY, A'R LLALL YN EGLWYS WYNNIO YN SIR BENFRO. EI SEFYDLIAD PWYSICAF OEDD ABATY **LLANDDYFYNNOG,** SEF LANDEVENEG, AR ARFORDIR GORLLEWIN LLYDAW.

HYGALL A NANCHWYL: DAU O DDUWIAU'R GALIAID (SUCELLOS A NANTOSUELTA) OEDD FEL ARFER YN CAEL EU HADDOLI FEL PÂR.